Titre original "A BRIGHT LIGHT"
D'après une histoire originale de Alberto Benevelli
Illustrations de Loretta Serofilli
© 1993 Scandinavia Publishing House
Norregade 32, DK-1165 Copenhagen K

© 1995 Editions du Signe pour tous les pays francophones
1, rue Alfred Kastler - B.P. 94 - 67038 Strasbourg Cedex 2 - France
Tous droits réservés - Reproduction interdite
Dépôt légal 3e trimestre 1995
Déposé au Ministère de la Justice à la date de la mise en vente
Loi n° 49-956 du 16.07.1949 sur les publications destinées à la jeunesse
ISBN 2-87718-263-9
Printed in Hungary

Une nuit de lumière

Un récit d'Alberto BENEVELLI
Adapté par Isabelle HINCKER-KAELBEL
Illustré par Loretta SEROFILLI

EDITIONS DU SIGNE

Dans tout le royaume, dans chaque rue, dans chaque maison et chaque jardin règnait une agitation inhabituelle.

Chacun frottait, nettoyait, décorait sa maison pour qu'elle soit la plus belle et les rues de la ville prenaient un air de fête et de joie..... C'était comme si une baguette magique avait mis de la beauté partout.

Quelle était donc cette fête que l'on s'apprêtait à célébrer ?

On racontait qu'un très grand roi,
plus puissant que tous les autres rois de la terre,
allait venir par ici.
Les gens disaient même qu'il allait venir la nuit,
accompagné de magnifiques anges
aux ailes pleines de couleurs brillantes
et qu'une lumière claire et éblouissante
chasserait la nuit à tout jamais
et illuminerait le monde entier.
Voilà donc ce que tout le monde attendait !
La nature, elle aussi, frémissait d'impatience ;
même les arbres au feuillage touffu
se laissaient balancer par le vent
comme s'ils voulaient déjà s'agenouiller
devant ce nouveau roi.

Les animaux avaient aussi leur mot à dire !
Ils voulaient absolument participer
à l'attente générale.
Ils décidèrent d'être les messagers
de cette extraordinaire nouvelle.
Ainsi, perché sur la clôture,
un paon ouvrit fièrement sa queue colorée
telle un éventail en proclamant à qui voulait l'entendre :
"Le roi qui viendra,
sera revêtu d'étoffes de soie éclatantes
et couvert de perles précieuses ;
son manteau ressemblera au mien
et mes plumes orneront sa couronne ! "
Et se gonflant d'orgueil,
il se tourna de tous les côtés
pour que chacun puisse admirer sa queue magnifique.

Non loin de là,
un cheval batifolait dans les prés en hennissant :
"Un noble et vaillant roi arrive.
Devant lui, tout le monde se mettra à genoux.
Je serai son coursier et assis sur ma selle,
il gouvernera toutes les nations.
Grande sera notre gloire !"
Il se cabra et s'élança au galop devant lui.

Sur le seuil de la porte,
un chien s'étirait et grognait.
Mais en entendant toutes ces paroles,
il se redressa sur ses pattes
et voulut à son tour annoncer la nouvelle en aboyant :
"Il vaincra tout ce qui fera obstacle sur son chemin.
Je guiderai ses pas pour la chasse
et le gibier tombera à ses pieds.
Je l'aiderai à faire de grandes choses !"
Puis il poussa des hurlements semblables à ceux d'un loup.....

Mais pendant que nos amis les bêtes participaient,
à leur façon, à la grande fête de l'attente, un boeuf
et un âne travaillaient durement à la ferme pour moudre le grain.
Ils ne savaient que dire.
Ils ne voyaient vraiment pas comment
eux pourraient être utiles au nouveau roi.

D'ailleurs,
ils étaient bien trop fatigués
à force de faire tourner
la meule à laquelle
ils étaient attelés
pour pouvoir se réjouir
avec les autres.
Et puis,
qu'est-ce que
cela changerait.....
personne ne s'occupait
jamais d'eux.

Non, vraiment, tout cela ne les concernait pas.

Le soir venu, comme tous les soirs,
quelqu'un vint enfin les détacher de leur attelage
pour les mener un peu plus loin
dans une grotte nichée sur la colline.
Personne ne voulait en effet
que le roi tant attendu
puisse voir leurs yeux tristes.
D'ailleurs, quand l'âne et le boeuf se regardaient l'un l'autre,
ils se prenaient en pitié et le poids de leur fatigue
n'en était que plus grand.
L'échine courbée, les flancs meurtris par le harnais
et la tête basse, ils se laissèrent emmener
vers un repos bien mérité.
Ils étaient certains qu'aucun roi
ne viendrait jamais jusqu'à eux,
mais ça leur était bien égal.

Enfin arrivés à la grotte où
ils devaient passer la nuit, le boeuf et l'âne s'allongèrent
et purent admirer les feux de joie qui brillaient dans la vallée,
là en-bas.

Des feux d'artifice traversaient la nuit
et s'élançaient vers le ciel comme si des poussières d'étoiles avaient
été lancées sur la ville.
Le boeuf et l'âne étaient émerveillés par ce qu'ils voyaient et se mirent
à rêver à une vie plus douce et moins difficile dans la vallée.

*Pendant ce temps, un homme et une femme cherchaient
à se loger pour la nuit.
Comme ils n'avaient plus trouvé de place
dans les auberges de la ville,
ils se dirigeaient vers la montagne
afin de s'abriter dans une grotte.
Le vent du nord soufflait et ils furent bien contents d'entrer
dans le refuge du boeuf et de l'âne.
Ceux-ci se serrèrent un peu
pour faire de la place aux nouveaux venus
et leur offrirent un peu de paille fraîche pour s'allonger.
Puis, épuisés par la journée de labeur, ils s'endormirent.*

Mais soudain, une lumière blanche et vive les réveilla.

Pendant la nuit,
la femme avait donné
naissance à un enfant.
Elle l'avait enveloppé
dans des linges
et l'avait couché
dans la mangeoire.

*Une lumière magnifique brillait
autour du bébé et déjà les bergers arrivaient
des quatre coins de la montagne
pour l'adorer.*

Ils avaient entendu le chant des anges dans le ciel :
"Gloire à Dieu au plus haut des cieux
et Paix sur la terre aux hommes qu'il aime !
Le boeuf et l'âne étaient stupéfaits. Ils venaient de réaliser que le ro
tant attendu et qu'on disait tout-puissant était couché là, tout près
d'eux, tout fragile. Et eux, humbles bêtes, en étaient les premiers
témoins.
Fous de joie, les deux amis se rapprochèrent de l'enfant pour le
réchauffer avec leur souffle.
Alors, comme pour les remercier, l'enfant ouvrit les yeux et sourit ten
drement.

20

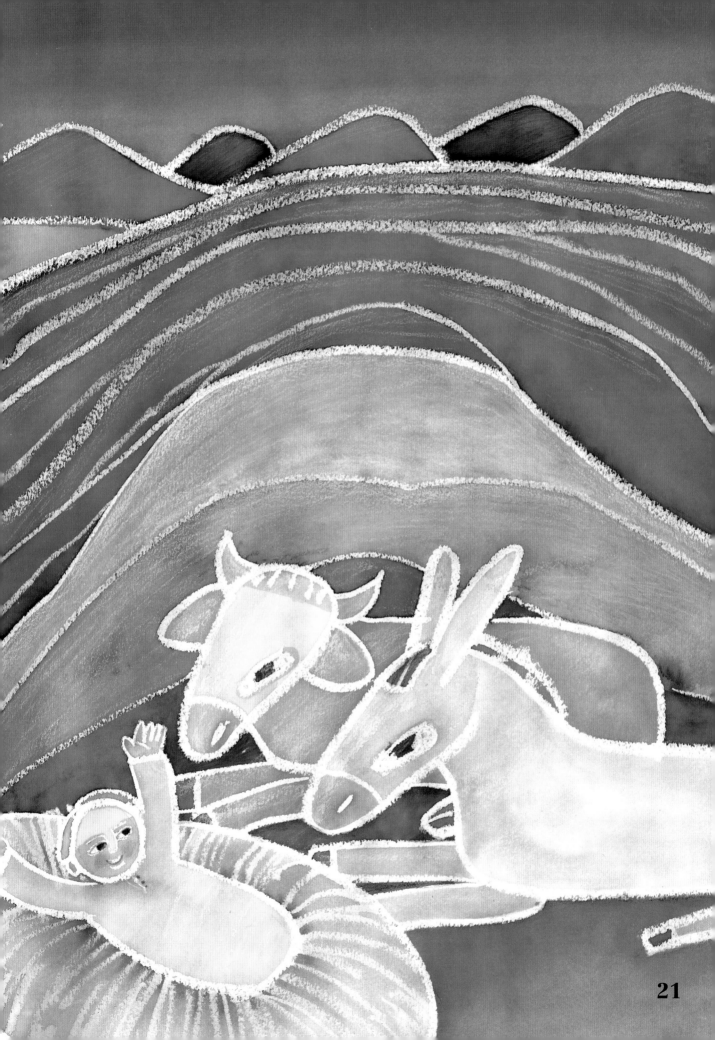

Puis un matin, à l'aube,
au moment où le soleil offre ses premiers rayons au monde,
l'homme, la femme et l'enfant partirent sur le chemin vers la ville. Le
boeuf et l'âne étaient bien tristes de ce départ car depuis cette mer-
veilleuse nuit, leur vie était plus belle.
Ils les accompagnèrent sur le sentier
puis les suivirent du regard jusqu'à ce qu'ils disparaissent.
C'est alors qu'ils se rappelèrent
tout ce que les autres animaux avaient annoncé.....

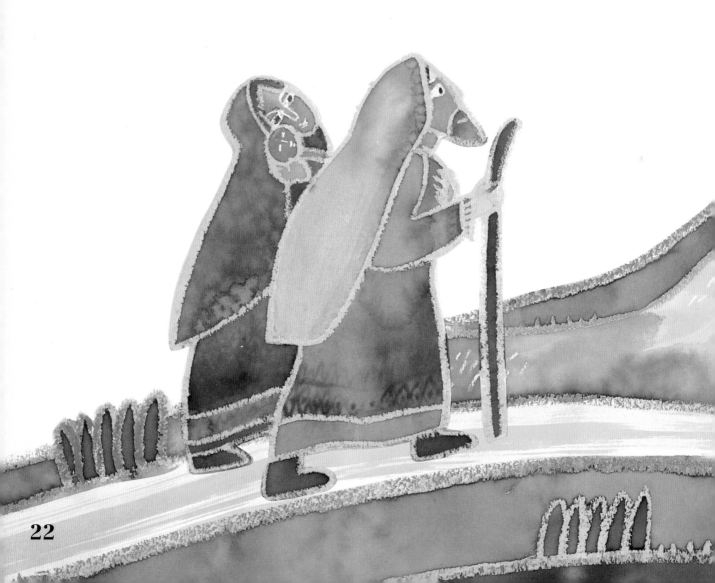

23

Depuis ce jour-là, quand le boeuf et l'âne regardent vers la vallée du haut de leur colline, ils se sentent heureux. Car ils savent maintenant que les lumières de la ville qui leur semblaient si belles et si puissantes auparavant, étaient bien peu de choses par rapport à la grande clarté qui avait brillé pendant la nuit de la naissance, la nuit de la lumiè-re.....